劉福春・李怡 主編

民國文學珍稀文獻集成

第二輯

新詩舊集影印叢編　第74冊

【徐志摩卷】

翡冷翠的一夜

上海：新月書店 1927 年 9 月初版

徐志摩　著

花木蘭文化事業有限公司

國家圖書館出版品預行編目資料

翡冷翠的一夜／徐志摩　著 — 初版 — 新北市：花木蘭文化事業有限公司，2017〔民 106〕

162 面；19×26 公分

（民國文學珍稀文獻集成・第二輯・新詩舊集影印叢編　第 74 冊）

ISBN 978-986-485-151-5（套書精裝）

831.8　　106013764

ISBN-978-986-485-151-5

9789864851515

民國文學珍稀文獻集成・第二輯・新詩舊集影印叢編（51-85 冊）

第 74 冊

翡冷翠的一夜

著　者　徐志摩
主　編　劉福春、李怡
企　劃　首都師範大學中國詩歌研究中心
北京師範大學民國歷史文化與文學研究中心
（臺灣）政治大學民國歷史文化與文學研究中心
總 編 輯　杜潔祥
副總編輯　楊嘉樂
編　輯　許郁翎、王筑　美術編輯　陳逸婷
出　版　花木蘭文化事業有限公司
社　長　高小娟
聯絡地址　235 新北市中和區中安街七二號十三樓
電話：02-2923-1455／傳真：02-2923-1452
網　址　http://www.huamulan.tw　信箱　hml 810518@gmail.com
印　刷　普羅文化出版廣告事業
初　版　2017 年 9 月
定　價　第二輯 51-85 冊（精裝）新台幣 88,000 元　

翡冷翠的一夜

徐志摩 著

新月書店（上海）一九二七年九月初版。原書三十二開。

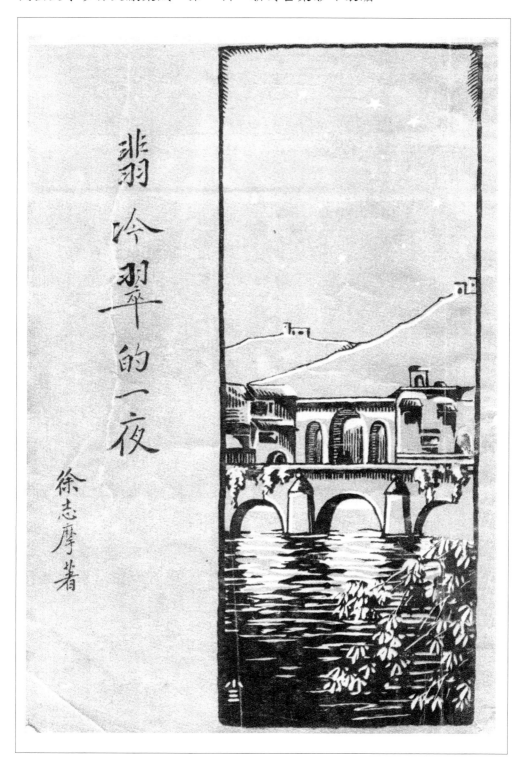

翡冷翠的一夜

徐志摩著

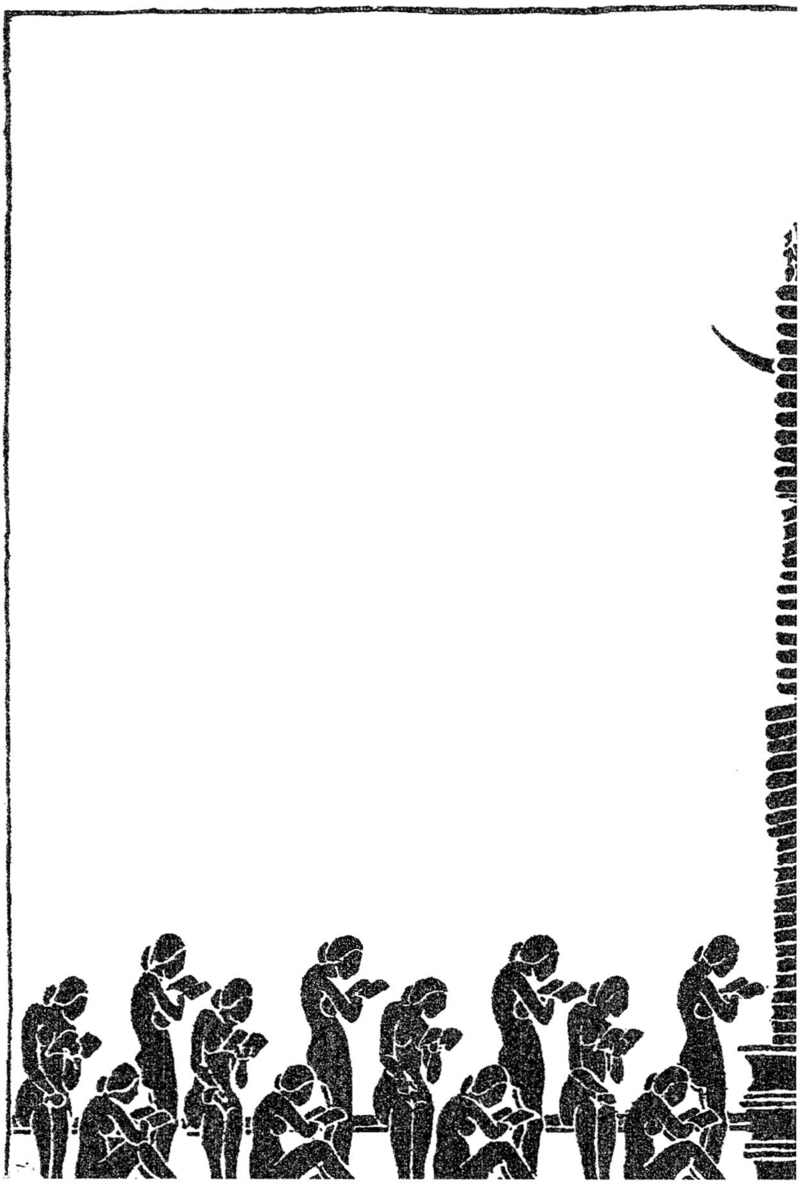

翡冷翠的一夜

志摩自署

小曼：

如其送禮不妨過期到一年的話，小曼，請你收受這一集詩，算是紀念我倆結婚的一份小禮。秀才人情當然是見笑的，但好在你的思想，眉，本不在金珠寶石間！這些不完全的詩句，原是不值半文錢，但在我這窮酸，說也臉紅，已算是這三年來唯一的積蓄。我不是詩人，我自己一天明白似一天，更不須隱諱；狂妄的虛潮早經銷退，餘膚的只一片瘦瘠的不生產的沙田，在海天的荒涼中自艾。「志摩感情之浮，使他不能為詩人，思想之雜，使他不能為文人。」這是一個朋友給我的評語。照風景，當然，但我的幽默不容我不承認他這來真的隸入骨髓的看透了我。照風景，當然，但同時我卻感到一種解放的快樂——

「我不想成仙，蓬萊不是我的分

我祇要地面，情願安分的做人」……
本來是！　如其詩句的來」，詩人濟慈說「不像
是葉子那麼長上樹枝，那還不如不來的好」
我如其曾經有過一星星詩的本能，這幾年都
市的生活早就把它壓死，這一年間我只淘成了
一首詩，前途更是渺茫，唉，不來也罷，祇是我怕
辜負你的期望，眉，我如何能不感到惆悵！因
此這一卷詩，大約是末一卷吧，我不能不鄭重的

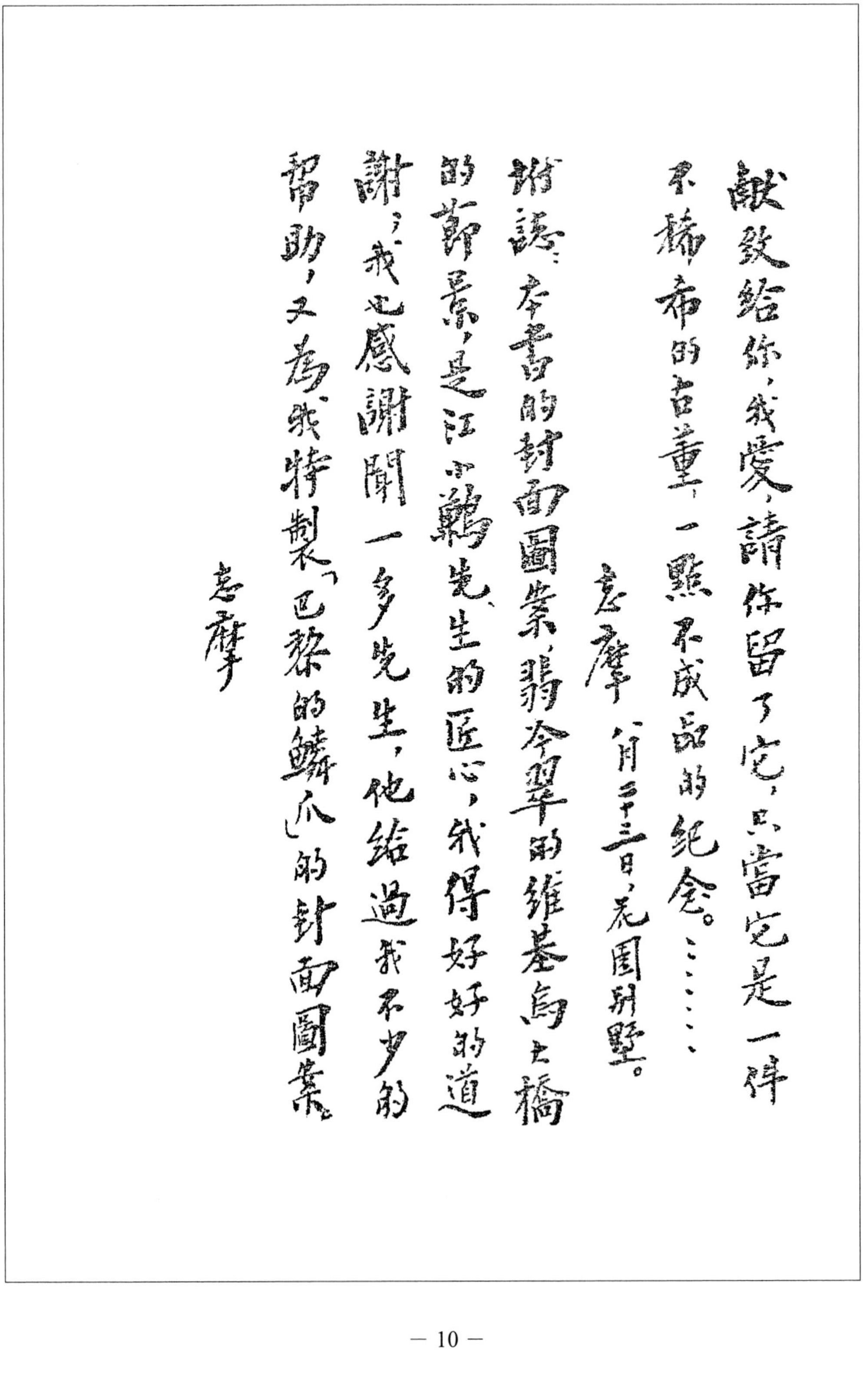

獻致給你，我愛，請你留了它，只當它是一件不稀希的古董，一點不成品的紀念。……

志摩 八月二十三日，花園別墅。

謝謝：本書的封面圖案，翡冷翠的維基烏大橋的夜景，是江小鶼先生的匠心，我得好好的道謝，我也感謝聞一多先生，他給過我不少的幫助，又為我特製「巴黎的鱗爪」的封面圖案。

志摩

目錄

第一輯

翡冷翠的一夜
呻吟語
『我要你』（譯）
她怕他說出口
偶然
珊瑚
變與不變

丁當——淸新
我來揚子江邊買一把蓮蓬
客中
大沽口外
半夜深夜琵琶
決斷
最後的那一天
「起造一座牆」
望月
白鬢的海老兒

再休怪我的臉沉
天神似的英雄

第二輯

再不見雷峯
大帥（戰歌之一）
人變獸（戰歌之二）
梅雪爭春
這年頭活着不易
廬山石工歌

西伯利亞
秋雪庵蘆色
在哀克剎脫教堂前
一個厭世人的墓誌銘
在火車上一次心軟
圖下的老江（譯）
新婚與舊鬼（譯）
兩位太太（哈代）
海韻
渦堤孩新婚歌

蘇蘇
又一次試驗
運命的邏輯
新催粧曲
兩地相思
罪與罰（一）
罪與罰（二）

▼

第一輯　翡冷翠的一夜

翡冷翠的一夜

你真的走了，明天？那我，那我，……
你也不用管，遲早有那一天；
你願意記着我，就記着我，
要不然趁早忘了這世界上
有我，省得想起時空着惱，
只當是一個夢，一個幻想；
只當是前天我們見的殘紅，
怯怜怜的在風前抖擻一瓣，

兩瓣，落地，叫人踩，變泥……

唉，叫人踩，變泥——變了泥倒乾淨，

這半死不活的才叫是受罪，

看着寒傖，累贅，叫人白眼——

天呀！ 你何苦來，你何苦來……

我可忘不了你，那一天你來，

就比如黑暗的前途見了光彩，

你是我的先生，我愛，我的恩人，

你教給我甚麼是生命，甚麼是愛，

你驚醒，我的昏迷，償還我的天眞，

— 2 —

沒有你我那知道天是高，草是青？
你摸摸我的心，它這下跳得多快；
再摸我的臉，燒得多焦，虧這夜黑
看不見；愛，我氣都喘不過來了，
別親我了；我受不住這烈火似的活，
這陣子我的靈魂就像是火磚上的
熟鐵，在愛的鎚子下，砸，砸，火花
四散的飛灑……我暈了，抱着我，
愛，就讓我在這兒清靜的園內，
閉着眼，死在你的胸前，多美！

頭頂白楊樹上的風聲，沙沙的，
算是我的喪歌，這一陣清風，
橄欖林裏吹來的，帶着石榴花香，
就帶了我的靈魂走，還有那螢火，
多情的殷勤的螢火，有他們照路，
我到了那三環洞的橋上再停步，
聽你在這兒抱着我半暖的身體，
悲聲的叫我，親我，搖我，咂我；……
我就微笑的再跟着清風走，
隨他領着我，天堂，地獄，那兒都成，

— 4 —

反正丟了這可厭的人生;實現這死
在愛裏;這愛中心的死,不強如
五百次的投生?……自私,我知道,
可我也管不着……你伴着我死?
什麼,不成雙就不是完全的「愛死,」
要飛昇也得兩對翅膀兒打夥;
進了天堂還不一樣的得照顧,
我少不了你,你也不能沒有我;
要是地獄.我單身去你更不放心,
你說地獄不定比這世界文明

（雖則我不信）像我這嬌嫩的花朵，
難保不再遭風暴，不叫雨打，
那時候我喊你，你也聽不分明，——
那不是求解脫反投進了泥坑，
倒叫冷眼的鬼串通了冷心的人，
笑我的命運，笑你懦怯的粗心？
這話也有理，那叫我怎麼辦呢？
活着難，太難，就死也不得自由，
我又不願你爲我犧牲你的前程……
唉！你說還是活着等，等那一天！

— 6 —

有那一天嗎？——你在，就是我的信心；
可是天亮你就得走．你眞的忍心
丟了我走？我又不能留你，這是命；
但這花，沒陽光曬，沒甘露浸，
不死也不免瓣尖兒焦萎，多可憐！
你不能忘我，愛，除了在你的心裏，
我再沒有命；是我聽你的話，我等，
等鐵樹兒開花我也得耐心等；
愛，你永遠是我頭頂的一顆明星：
要是不幸死了，我就變一個螢火，

在這園裏，挨著草根，暗沈沈的飛，
黃昏飛到半夜，半夜飛到天明，
只願天空不生雲，我望得見天，
天上那顆不變的大星，那是你，
但願你爲我多放光明，隔着夜，
隔着天，通着戀愛的靈犀一點……

六月十一日，一九二五年翡冷翠山中

呻吟語

我亦願意讚美這神奇的宇宙；
我亦願意忘却了人間有憂愁，
像一隻沒掛累的梅花雀，
清朝上歌唱，黃昏時跳躍；——
假如她清風似的常在我的左右！

我亦想望我的詩句清水似的流，
我亦想望我的心池魚似的悠悠；

但如今膏火是我的心，
再休問我閒暇的詩情？——
上帝！你一天不還她生命與自由！

『我要你』（譯）

（"Amoris Victima" 第六首 Arthur Symons）

我不能沒有你：你是我的，這多久
是我唯一的奴隸，我唯一的女后。
我不能沒有你：你早經變成了
我自身的血肉，比我的更切要。
我要你！隨你開口閉口，笑或是嗔，
只要你來伴着我，一個小小的時辰，
讓我親吻你，你的手，你的髮，你的口，

— 11 —

讓我在我的手腕上感覺你的指頭。
我不能沒有你世上多的是男子們，
他們愛，說一聲再會，轉身又是昏沉：
我只是知道我要你，我要的就只你，
就爲的是我要你。只要你能知道些微
我怎樣的要你！假如你一天知道
我心頭要你的餓慌，要你的火燒！

— 12 —

他怕他說出口

（朋友，我懂得那一條骨骾，
難受不是？——難爲你的咽喉；）
「看，那草瓣上蹲着一隻蚱蜢，
那松林裏的風聲像是箜篌。」

（朋友，我明白，你的眼水裏
閃動着你眞情的淚晶；）
「看那一雙胡蝶連翩的飛；

你試聞聞這紫蘭花馨！」
（朋友，你的心在怦怦的動：
我的也不一定是安寧；）
「看，那一對雌雄的雙虹！
在雲天裏賣弄着娉婷；」
（這不是玩，還是不出口的好，
我頂明白你靈魂裏的祕密：
那是句致命的話，你得想到，

— 14 —

回頭你再來追悔那又何必!
（我不願你進火燄裏去遭罪，
就我——就我也不情願受苦!）
「你看那雙虹已經完全破碎;
花草裏不見了蝴蝶兒飛舞」
（耐着!美不過這半綻的花蕾;
何必再添深這煩上的薄暈?）
「回走吧，天色已是怕人的昏黑，——
明兒再來看魚肚色的朝雲!」

偶然

我是天空裏的一片雲，
偶爾投影在你的波心——
　你不必訝異，
　　更無須歡喜——
在轉瞬間消滅了踪影。

你我相逢在黑夜的海上，
你有你的，我有我的，方向；

你記得也好，
最好你忘掉，
在這交會時互放的光亮！

珊瑚

你再不用想我說話，
　我的心早沈在海水底下；
你再不用向我叫喚：
　因爲我——我再不能回答！

除非你——除非你也來在
　這珊瑚骨環繞的又一世界：
等海風定時的一刻清靜，
　你我來交互你我的幽歎。

變與不變

樹上的葉子說：『這來又變樣兒了，
你看，有的是抽心爛，有的是捲邊焦！』
『可不是，』答話的是我自己的心：
它也在冷酷的西風裏褪色，凋零。

這時候連翩的明星爬上了樹尖；
『看這兒，』它們彷彿說，『有沒有改變？』
『看這兒，』無形中又發動了一個聲音，
『還不是一樣鮮明？』——插話的是我的魂靈！

丁當——淸新

簷前的秋雨在說什麼？
它說摔了她，憂鬱什麼？
我手拏起案上的鏡框，
在地平上摔一個丁當。

簷前的秋雨又在說什麼？
「還有你心裏那個留着做什麼？」
驀地裏又聽見一聲淸新——
這回摔破的是我自己的心！

我來揚子江邊買一把蓮蓬

我來揚子江邊買一把蓮蓬；
手剝一層層蓮衣，
看江鷗在眼前飛，
忍含着一眼悲淚——
我想着你，我想着你，阿小龍！

我嘗一嘗蓮瓤，回味曾經的溫存：——
那階前不捲的重簾，

掩護着同心的歡戀，
我又聽着你的盟言，
「永遠是你的，我的身體，我的靈魂」
我嘗一嘗蓮心，我的心比蓮心苦；
我長夜裏怔忡，
掙不開的惡夢，
誰知我的苦痛？
你害了我，愛，這日子叫我如何過？

— 22 —

但我不能責你負，我不忍猜你變，
我心腸只是一片柔：
你是我的！我依舊
將你緊緊的抱摟——
除非是天翻——但誰能想像那一天？

客中

今晚天上有半輪的下弦月；
　我想攜着她的手，
　　往明月多處走——
一樣是清光，我說，圓滿或殘缺。

園裏有一樹開臘的玉蘭花；
　她有的是愛花癖，
　　我愛看她的憐惜——

一樣是芬芳，她說，薔花與殘花。
濃陰裏有一隻過時的夜鶯；
　她受了秋涼，
　　不如從前瀏亮——
快死了，她說，但我不悔我的癡情！
但這鶯，這一樹花，這半輪月——
　　　我獨自沉吟，
　　對着我的身影——
她在那裏，阿，爲什麽傷悲，凋謝，殘缺？

三月十二深夜大沽口外

今夜困守在大沽口外：
　絕海裏的俘虜，
　對著憂愁申訴；
桅上的孤燈在風前搖擺：
　天昏昏有層雲裹，
　那掣電是探海火！
你說不自由是這變亂的時光？

—— 26 ——

但變亂還有時罷休，
誰敢說人生有自由？
今天的希望變作明天的悵惘；
星光在天外冷眼睒，
人生是浪花裏的浮漚！

我此時在凄冷的甲板上徘徊，
聽海濤遲遲的吐沫，
心空如不波的湖水；
只一絲雲影在這湖心裏晃動——

不曾參透的一個迷夢，
不忍參透的一個迷夢！

半夜深夢琵琶

又被它從睡夢中驚醒，深夜裏的琵琶！
是誰的悲思，
是誰的手指，
像一陣淒風，像一陣慘雨像一陣落花
在這夜深深時，
在這睡昏昏時，
挑動著緊促的絃索，亂彈著宮商角徵，
和著這深夜，荒街，

柳梢頭有殘月掛，
阿，半輪的殘月，像是破碎的希望他，他
頭戴一頂開花帽，
身上帶着鐵鏈條，
在光陰的道上瘋了似的跳，瘋了似的笑，
完了，他說，吹糊你的燈，
她在墳墓的那一邊等，
等你去親吻，等你去親吻，等你去親吻？

決斷

我的愛：
再不可遲疑；
誤不得
這唯一的時機。

天平秤——
在你自己心裏，
那頭重——

法碼都不用比！

你我的——
那還用着我提？
下了種，
就得完功到底。

生，愛，死——
三連環的迷謎；
拉動一個，

— 32 —

兩個就跟著擠。

老實說，
我不希罕這活，
這皮囊，——
那處不是拘束。

要戀愛，
要自由，要解脫——
這小刀子，

許是你我的天國！

可是不死
就得跑，遠遠的跑；
誰耐煩
在這猪圈裏捞騷？
險——
不用說，總得冒，
不拚命，

那件事拿得着?

看那星,
多勇猛的光明!
看這夜,
多莊嚴,多澄清!

走罷,
甜,
前塗不是暗昧;
多謝天,
從此跳出了輪迴!

最後的那一天

在春風不再回來的那一年，
在枯枝不再青條的那一天，
　那時間天空再沒有光照，
　只黑蒙蒙的妖氛瀰漫著
太陽，月亮，星光死去了的空間；

在一切標準推翻的那一天，
在一切價值重估的那時間：

— 36 —

暴露在最後審判的威靈中
一切的虛僞與虛榮與虛空：
赤裸裸的靈魂們匍匐在主的跟前；
——

我愛，那時間你我再不必張皇，
更不須聲訴，辨冤，再不必隱藏，
——
你我的心，像一朶雪白的並蒂蓮，
在愛的青梗上秀挺，歡欣，鮮妍，
——
在主的跟前，愛是唯一的榮光。

『起造一座牆』

你我千萬不可褻瀆那一個字，
別忘了在上帝跟前起的誓。
我不僅要你最柔軟的柔情，
蕉衣似的永遠裹着我的心；
我要你的愛有純鋼似的強，
在這流動的生裏起造一座牆；
任憑秋風吹盡滿園的黃葉，
任憑白蟻蛀爛千年的畫壁；

— 38 —

就使有一天霹靂震翻了宇宙，——
也震不翻你我『愛牆』內的自由！

望月

月：我隔着窗紗，在黑暗中，
望她從巉巖的山肩掙起——
一輪惺忪的不整的光華：
像一個處女，懷抱着貞潔，
驚惶的，掙出強暴的爪牙；

這使我想起你，我愛，當初
也曾在惡運的利齒間掙！

— 40 —

但如今，正如藍天裏明月，
你已升起在幸福的前峯，
洒光輝照亮地面的坎坷！

白鬚的海老兒

那船平空在海中心拋錨，
也不顧我心頭野火似的燒！
那白鬚的海老倒像有同情，
他聲聲問的是爲甚不進行？

我伸手向黑暗的空間抱，
誰說這飄渺不是她的腰？
我又飛吻給銀河邊的星，

—續—

那是我愛最靈動的明睛。

但這來白鬚的海老又生惱
（他忌妒少年情別看他年老！）
他說你情急我偏給你不行，
你怎生跳度這碧波的無垠？

果然那老頑皮有他的蹊蹺，
這心頭火差一點變海水裏泡！
但此時我忙着親我愛的香唇，
誰耐煩再和白鬚的海老兒爭？

再休怪我的臉沈

不要著惱，乖乖，不要怪嫌
　　我的臉繃得直長，
　　我的臉繃得是長，
可不是對你，對戀愛生厭。

不要潑空往大坑裏盲跳：
　　胡猜是一個大坑，
　　這裏面坑得死人；

你聽我講，乖，用不着煩惱。

你，我的戀愛，早就不是你：

　你我早變成一身，

　　呼吸，命運，靈魂——

再沒有力量把你我分離。

你我比是桃花接上竹葉，

　露水合著嘴唇喫，

經脈膠成同命絲，

單等春風到開一個滿艷。
誰能懷疑他自創的戀愛？
　天空有星光耿耿，
　冰雪壓不倒青春；
任憑海有時枯，石有時爛！
不是的，乖，不是對愛生厭！
　你胡猜我也不怪，
　我的樣兒是太難，

反正我得對你深深道歉。

不錯，我惱，惱的是我自己：
（山怨土堆不够高；
河對水私下嘮叨。）
恨我自己為甚這不爭氣。

我的心（我信）比似個淺窪：
跳動着幾條泥鰍，
積不住三尺清流，

盼不到天光，映不著彩霞；
又比是個力乏的朝山客，
他望見白雲繚繞，
擁護著山遠山高，
但他只能在倦廢中沈默；
也不是不認識上天威力：
他何嘗甘願絕望，
空對著光陰悵惘——

— 48 —

你到深夜裏來聽他悲泣！
就說愛，我雖則有了你，愛，
不愁在生命道上
感受孤立的恐慌，
但天知道我還想往上攀！
戀愛，我要更光明的實現：
草堆裏一個螢火
企慕著天頂星羅：

我要你我的愛高比得天！
我要那洗度靈魂的聖泉，
　洗掉這皮囊腌臢；
　解放內裏的囚犯，
化一縷輕烟，化一朵青蓮。
這，你看才叫是煩惱自找；
　從清晨直到黃昏，
　從天昏又到天明，

活動著我自割的一把鋼刀！
不是自殺，你得認個分明。
　劈去生活的餘渣，
　爲要生命的精華；
給我勇氣，阿，唯一的親親！
給我勇氣，我要的是力量，
　快來救我這圍城，
　再休怪我的臉沈，
快來，乖乖，抱住我的思想！

四月二十二日。

天神似的英雄

這石是一堆粗醜的頑石，
這百合是一叢明媚的秀色；
但當月光將花影描上了石隙，
這粗醜的頑石也化生了媚迹。

我是一團臃腫的凡庸
她的是人間無比的仙容；
但當戀愛將她偎入我的懷中，
就我也變成了天神似的英雄！

第二輯　再不見雷峯

再不見雷峯

再不見雷峰，雷峯坍成了一座大荒塚，
　頂上有不少交抱的青葱；
　頂上有不少交抱的青葱，
再不見雷峯，雷峯坍成了一座大荒塚。

為什麼感慨，對着這光陰應分的摧殘？
　世上多的是不應分的變態。
　世上多的是不應分的變態；

發什麼感慨，對着這光陰應分的摧殘？
為什麼感慨：這塔是鎮壓，這墳是掩埋，
　鎮壓還不如掩埋來得痛快！
　鎮壓還不如掩埋來得痛快，
發什麼感慨：這塔是鎮壓，這墳是掩埋。
再沒有雷峯；雷峯從此掩埋在人的記憶中：
　像曾經的幻夢，曾經的愛寵；
　像曾經的幻夢，曾經的愛寵，
再沒有雷峯；雷峯從此掩埋在人的記憶中。

九月，西湖。

大帥（戰歌之一）

（見日報，前敵戰士，隨死隨掩，
聞有未死者，即被活埋。）

「大帥有命令以後打死了的屍體
再不用往回挪（叫人看了挫氣，）
就在前邊兒挖一個大坑，
拏爛了的弟兄們往裏扔；
擲滿了給平上土，
給它一個大糊塗；

也不用給做記認，
管他是姓賈姓會！
也好，省得他們家裏人見了傷心；
娘抱著個爛了的頭，
弟弟提溜着一支手，
新娶的媳婦到手個膿包的腰身！」
「我說這坑死人也不是沒有味兒，
有那西晒的太陽做我們的伴兒，
瞧我這一抄，抄住了老丙，

他大前天還跟我喫烙餅，
叫了壺大白乾，
咱們倆隨便談，
你知道他那神氣，
一隻眼老是這擠：
誰想他來不到三天就做了炮灰，
老丙他打仗倒是勇，
你瞧他身上的窟窿！——
去你的，老丙，咱們來就是當死胚！

「天快黑了，怎麼好，還有這一大堆？
聽炮聲，這半天又該是我們的毀！
麻俐點兒，我說你瞧，三哥，
那黑刺刺的可不又是一個！
嘿，三哥，有沒有死的，
還開着眼流著淚哩！
我說三哥這怎麼來，
總不能挐人活著埋！」——
『吁，老五，別言語，聽大師的話沒有錯：
見個兒就給鏟，

— 58 —

見個兒就給埋，
躲開，瞧我的；歐，去你的，誰跟你囉唆！」

『人變獸』（戰歌之二）

朋友，這年頭眞不容易過，
你出城去看光景就有數：——
柳林中有烏鴉們在爭吵，
分不勻死人身上的脂膏；
城門洞裏一陣陣的旋風
起，跳舞着沒腦袋的英雄，
那田畦裏碧葱葱的豆苗，

你信不信全是用鮮血澆！
還有那井邊挑水的姑娘；
你問她爲甚走道像帶傷——
抹下西山黃昏的一天紫，
也塗不沒這人變獸的恥！

梅雪爭春（紀念三一八）

南方新年裏有一天下大雪，
我到靈峯去探春梅的消息；
殘落的梅蕚瓣瓣在雪裏醃，
我笑說這顏色還欠三分艷！

運命說：你趕花朝節前回京，
我替你備下真鮮艷的春景：
白的還是那冷翩翩的飛雪，
但梅花是十三齡童的熱血！

「這年頭活着不易」

昨天我冒着大雨到烟霞嶺下訪桂；
南高峯在烟霞中不見，
在一家松茅鋪的屋檐前
我停步，問一個村姑今年
翁家山的桂花有沒有去年開的媚，
那村姑先對着我身上細細的端詳：
活像隻羽毛浸瀉了的鳥，

我心想，她定覺得蹊蹺，
在這大雨天單身走遠道，
倒來沒來頭的問桂花今年香不香。
『客人，你運氣不好，來得太遲又太早；
這里就是有名的滿家弄，
往年這時候到處香得凶，
這幾天連綿的雨，外加風，
弄得這稀糟，今年的早桂就算完了。』

— 64 —

果然這桂子林也不能給我點子歡喜：
枝上只見焦萎的細蕊，
看着悽慘，唉，無安的災！
爲什麼這到處是憔悴？
這年頭活着不易！這年頭活着不易！

西湖，九月。

廬山石工歌

(一)

唉浩！唉浩！唉浩！
唉浩！唉浩！
我們起早，唉浩，
看東方曉，唉浩，東方曉！
唉浩！唉浩！
鄱陽湖低！唉浩，廬山高！
唉浩，廬山高；唉浩，廬山高；

唉浩，廬山高！
　唉浩唉浩！唉浩！
　　唉浩！唉浩！

（二）

浩唉！浩唉！浩唉！
　浩唉！浩唉！
我們早起，浩唉！
看白雲低，浩唉！白雲飛！
　浩唉！浩唉！
天氣好；浩唉！上山去；

浩唉，上山去；浩唉，上山去；

浩唉，上山去！

浩唉！浩唉！……浩唉！

浩唉浩唉！

（三）

浩唉！唉浩，浩唉！

唉浩：浩唉！唉浩！

浩唉！唉浩！浩唉！

唉浩！浩唉！唉浩！

太陽好，唉浩；太陽焦，

霞如火燒，唉浩！

大風起浩唉，白雲舖地；

當心腳底，浩唉；

浩唉，電閃飛，唉浩，大雨暴；

天昏，唉浩，地黑，浩唉

天雷到，浩唉，天雷到！

浩唉，鄱陽湖低：唉浩，五老峯高！

浩唉，上山去，唉浩，上山去！

浩唉，上山去！

唉浩鄱陽湖低！浩唉，廬山高！

唉浩，上山去，浩唉，上山去！
唉浩，上山去！
浩唉！浩唉！浩唉！
浩唉！浩唉！浩唉！
浩唉！浩唉！浩唉！
浩唉！浩唉！浩唉！

附錄致劉勉己函

勉己兄：

我記得臨走那一天交給你的稿子裏有一首『盧山石工歌，』盼望你沒有遺失。那首如其不會登出，我想

— 70 —

加上幾句註解。廬山牯嶺一帶造屋是用本山石的，開山的石工大都是湖北人，他們在山坳間結茅住家，早晚做工，賺錢有限僅夠糊飽，但他們的精神却並不頹喪（這是中國人的好處。）我那時住在小天池，正對鄱陽湖，每天早上太陽不曾驅淨霧氣，天地還只暗沉沉的時候，石工們已經開始工作，浩唉的聲音從鄰近的山上度過來，聽了別有一種悲涼的情調。天快黑的時候，這浩唉的聲音也特別的動人。我與歆海住廬山一個半月，差不多每天都聽着那石工的喊聲，一時緩，一時急，一時斷，一時續，一時高，一時低，尤其是在濃霧淒迷的早晚，這悠揚的音調在山谷裏震盪着格外使人感動，那是痛苦人間的呼籲，還是你聽着自己靈魂裏的悲聲？ Challapin （俄國著名歌者）有一隻歌，叫做「鄂爾加河上的舟人歌」（Volga Boatmen's Song）是用迴返重複的低音，彷彿鄂爾加河沉着的濤聲，表現俄國民族偉大沉默的悲哀。我當時聽了廬山石工的叫聲，就想起他的音樂，這三段石工歌便是從那個經驗裏化成的。我不懂得音樂，製歌不敢自信，但那浩唉的聲調至今還在我靈府裏動盪，我只盼望將來有音樂家能利用那樣天然的音籟譜出我們漢族血液的心聲！

志摩 三月十六日西伯利亞

—72—

西伯利亞

西伯利亞：——我早年時想像
你不是受上天恩情的地域：
荒涼，嚴肅，不可比況的冷酷。
在凍霧裏，在無邊的雪地裏，
有局促的生靈們，半像鬼，枯瘦，
黑面目，痴儍，默無聲的工作，
在他們，這地面是寒冰的地獄，
天空不留一絲霞彩的希冀，

更不問人事的恩情，人情的旖旎；
這是為怨鬱的人間淤藏怨鬱，
茫茫的白雲裏這染人道的鮮血，
西伯利亞，你象徵的是恐怖，荒虛。

○　○　○　○

但今天，我面對這異樣的風光——
不是荒原，這春夏間的西伯利亞，
更不見嚴冬時的堅冰，枯枝，寒鴉；
在這烏拉爾東來的草田，茂旺，葱秀，
牛馬的樂園，幾千里無際的綠洲；

更有那重疊的森林，赤松與白楊，
灌屬的小叢林，手挽手的滋長；
那赤皮松，像鉅萬赭衣的戰士，
森森的，悄悄的，等待衝鋒的號示，
那白楊，婀娜的多姿，最是那樹皮，
白如霜，依稀林中仙女們的輕衣；
就這天——這天也不是尋常的開朗：
看，藍空中往來的是輕快的仙航，——
那不是雲彩，那是天神們的微笑，
瓊花似的幻化在這圓穹的周遭……

（一九二五年過西伯利亞倚車窗眺景隨筆）

西伯利亞道中憶西湖秋雪庵蘆色作歌

我檢起一枝肥圓的蘆梗
在這秋月下的蘆田，
我試一試蘆笛的新聲，
在月下的秋雪庵前。

這秋月是紛飛的碎玉，
蘆田是神仙的別殿；
我弄一弄蘆管的幽樂——

　　我映影在秋雪庵前。
我先吹我心中的歡喜——
　　清風吹露蘆雪的酥胸；
我彈弄我歡喜的心機——
　　蘆田中見萬點的飛螢。
我記起了我生平的惆悵.
　　中懷不禁一陣的淒迷，
笛聲中也聽出了新來淒涼——

近水間有斷續的蛙啼。

這時候蘆雪在明月下翻舞，
我暗地思量人生的奧妙，
我正想譜一折人生的新歌，
阿，那蘆笛（碎了）再不成音調！

這秋月是繽紛的碎玉，
蘆田是仙家的別殿；
我弄一弄蘆管的幽樂，——

— 78 —

我映影在秋雪庵前。

我檢起一枝肥圓的蘆梗，
在這秋月下的蘆田；
我試一試蘆笛的新聲，
在月下的秋雪庵前。

在哀克刹脫教堂前（Exoter）

這是我自己的身影今晚間
倒映在異鄉教字的前庭、
一座冷峭峭森嚴的大殿，
一個峭陰陰孤聳的身影；
我對着寺前的雕像發問：
「是誰負責這離奇的人生？」
老朽的雕像瞅着我發楞

— 80 —

彷彿怪嫌這離奇的疑問。

我又轉問那冷鬱鬱的大星，
它正升起在這教堂的後背，
但它答我以嘲諷似的迷瞬：
在星光下相對，我與我的迷謎！

這時間我身旁的那顆老樹
他蔭蔽着戰蹟碑下的無辜，
幽幽的歎一聲長氣，像是

　　凄涼的空院裏淒涼的秋雨。

他至少有百餘年的經驗，
　　人間的變幻他什麼都見過；
生命的頑皮他也會計數：
　　春夏間洶洶，冬季裏婆婆。

他認識這鎮上最老的前輩，
　　看他們受洗，長黃毛的嬰孩；
看他們配偶，也在這教門內，——

最後看他們的名字上墓碑！

這半悲慘的趣劇他早經看厭，
他自身邂逅的殘餘更不沾戀；
因此他與我同心發一陣歎息——
啊！我身影邊平添了斑斑的落葉！

一九二五，七月。

— 63 —

一個厭世人的墓誌銘（哈代）

太陽往西邊落，
　我跟著他賽跑；
看誰先趕下地，
　到地裏去躲好。
那時他趕上我前，
　但勝利還是我的，
因爲他，還得出現，
　我從此躲在地底。

在火車中一次心軟（哈代）

在清朝時過一座教堂，
再過去望見海濱的黃沙，
正午過一處烟黑的村莊，
下午過一座森林，黑橡與赤楊，
最後瞥見了在月台上的她：

她不會見我，這光艷的妙影。
我自問，「你敢在此下車，爲她？」

但我坐在車廂裏躊躇未定，
車輪已經離站開行。頑冥！
假如你曾經下車，爲她！

圖下的老江 Jonn of Tours (old French)

(譯 D. G. Rossetti)

到了家了，圖下的老江，
他身體可老大的不爽。
『您好，我的媽；您好，我的兒；
媳婦給你生了個小孩兒。』
『媽，那你先去，到地板上
替我去舖上一張床；
輕輕兒的媽，您小心走道，

別讓我的媳婦聽到。」
那晚到半夜的光景，
老江睡著了，從此不醒。
「啊我的好媽，您告我
下面有人哭爲甚麼？」
「媳婦那是小孩兒們
爲牙疼哭得你煩心。」
「可是您得告我，我的媽，
誰在那兒釘板似的打？」
「媳婦，那是叫來的木工，

收拾那樓梯上的破縫。」
「那又是什麼，我的親娘，
是誰吹着那樣的淒涼?」
「兒呀，那是遊街的教士，
在我們門前，唱讚美詩。」
「那麼你說，我的婆婆，
我今天衣服該穿什麼?」
「藍的也好，兒呀，紅的也成，
可是我說穿黑，倒頂時新，」
「可是我媽，您得明白說，

爲什麽您吊眼淚直哭?」

「喔!事情要亮總得亮,

他死了,你知道——老江。」

「娘,那你關照做墳的,

做大些,放兩個人的;

咳,還得放大點兒尺寸,

反正這小孩兒也活不成。」

『新婚與舊鬼』 "The Hour and the Ghost"

by Christina Rossetti

新孃

郎呀，郎，抱着我
他要把我們拆散；
我怕這風狂如虎，
與這冷酷的暴烈的海：
看呀，那遠遠的山邊，
松林裏有火光炎炎；

新郎

那是為我點著的燈台。
你在我的懷裏，我愛，
誰敢來將你侵犯；
那是北極的星芒燦爛。

鬼

跟我來，負心的女，
回我們家去，回家去。
這是我的話，我的聲：
我曾經求你的愛，

你也曾答我的情，
來，我們的安樂窩已經落成——
快來同登大海的彼岸。

新孃

緊緊的摟住我，我的愛，
他責問我已往的盟約，
他抓我的手，扼我的腕，
郎呀，休讓他將我剽掠。
他要剜去你的心頭肉，
我抵抗他的強暴無法：

他指着那陰森的地獄，
我心怯他的偶嚇：——
呀，我擺不脫曾經的盟約！

新郎

偎着我，閉著你的眼：
就只你與我，地與天，
放心，我愛，再沒有轉變，

鬼

偎著我，跟著我來，
我是你的保護與引導：

— 94 —

我不耐煩等著，快來，
我們的新床已經安好。
是呀，新的房與新的床，
長生不老；我是夫，你是妻，
樂園在眼前；只要你的眼閉，
來呀，實現盟約的風光。

新孃

饒着我，再說一句話，
趁我的心血不會冷；
趁我的意志不會敗，

趁我的呼吸不曾涼。
不要忘記我，我的郎，
我便負心，你不要無常，
留給我你的心，我的郎君，
永葆着情眞與恩緣；
在寂寞的冷落的冬夜，
我的魂許再來臨，我的郎君。

新郎

定一定心，我愛，安你的神：
休教幻夢糾纏你的心靈：

那有什麼變與死，除了安寧?

鬼

罪孽！脆弱的良心，
這是人們無聊的收成！
你將來重復來臨，
只見他的恩情改變，冷淡，
也讓你知道那苦痛與怨恨
曾經一度刺戟我的心坎；
只見一個更美麗的新人
佔據你的房櫳，你的床邊，

你的戀愛，與他兒女產生：
那時候你與我，
在晦盲的昏暮
顛播，呼號，縱橫：

兩位太太（哈代）

她們倆同出去坐船玩：
　我的太太與我隣居的太太；
我獨自在家裏坐着——
　來了一個婦人，我的性命她，
我們一起坐着說着話，
　不提防天氣霎起了變化，
烏雲一陣陣的湧起，
　我不由的提心——害怕。

果然報來了消息，
說那船已經沈沒，
淹死了一個太太，
是那一位可不明白：
我心想這是誰呢，
是我的鄰居還是她，
淹死在無情的水底，
永遠再不得回家？
第二次消息又傳到，

— 100 —

說死的是我朋友的她。

我不由的失聲歎息，
『這回自由了的，是他！
但他可不能樂意，
鬆放了我不更佳！
『可是又何嘗不合式呢？』
冷冷的插話，我愛的她，
『還怎麼講，』我逼着問。
『因爲他愛我也與你一般深，

因此——你看——可不是一樣，
管墟死的是誰的夫人？」

十一月四日

海韻

（一）

「女郎，單身的女郎，
你爲什麼留戀
這黃昏的海邊？——
女郎，回家吧，女郎！」
「啊不；回家我不回，
我愛這晚風吹：」——
在沙灘上，在暮靄裡，

有一個散髮的女郎——
　　徘徊，徘徊，

（二）

『女郎，散髮的女郎，
你爲什麼傍徨
在這冷清的海上？
女郎，回家吧，女郎！』
『阿不；你聽我唱歌，
大海，我唱，你來和：』——
在星光下，在涼風裏，

輕盪着少女的清音——
　　高吟低哦，

（三）

『女郎，胆大的女郎！
那天邊扯起了黑幕，
這頃刻間有惡風波，——
女郎，回家吧，女郎！
『阿不；你看我凌空舞，
學一個海鷗沒海波：——
在夜色裏，在沙灘上，

急旋着一個苗條的身影——
婆娑，婆娑。

（四）

『聽呀，那大海的震怒，
女郎回家吧女郎！
看呀；那猛獸似的海波，
女郎，回家吧女郎！』
『阿不；海波他不來吞我，
我愛這大海的顛簸；
在潮聲裏，在波光裏，

阿，一個慵懶的少女在海沫裏，
　　蹉跎，蹉跎。

（五）

『女郎，在那裏，女郎？
　在那裏，你嘹喨的歌聲，
在那裏，你窈窕的身影？
　在那裏，阿，勇敢的女郎？』

黑夜呑沒了星輝，
　這海邊再沒有光芒；
海潮呑沒了沙灘，

沙灘上再不見女郎，——
再不見女郎！

渦堤孩新婚歌

小溪兒碧冷冷，笑盈盈講新聞，
青草地裏打滾，不負半點兒責任；
砂塊兒疏鬆。石礫兒輕靈，
小溪兒一跳一跳的向前飛行，
流到了河，暖溶溶的流波，
閃亮的銀波，陽光裏微酡，
小溪兒笑呷呷的跳入了河，
鬧嚷嚷的合唱一曲新婚歌，

「開門，水晶的龍宮，
渦堤孩已經成功，
她嫁了一個美麗的丈夫，
取得了她的靈魂整個。」

小漣兒喜孜孜的竄近了河岸，
手挽着水艸，緊靠着蘆葦，
湊近他們的耳朵，把新聞講一回：
「這是個秘密，但是秘密也無害，
小澗兒流入河，河水兒流到海，

— 110 —

我們的消息，幾個轉身就傳遍。」
青湛湛的河水，曲玲玲的流轉，
繞一個梅花島，畫幾個美人渦，
流出了山峽口，流入了大海波，
笑呼呼的輕唱一回新婚歌，
「開門，水晶的龍宮：
渦堤孩已經成功，
拖嫁了一個美麗的丈夫，
取得了她的靈魂整個。」

蘇蘇

蘇蘇是一個癡心的女子：
　像一朵野薔薇她的丰姿；
　像一朵野薔薇，她的丰姿——
來一陣暴風雨，摧殘了她的身世，

這荒草地裏有她的墓碑
　淹沒在蔓草裏，她的傷悲；
　淹沒在蔓草裏，她的傷悲——

阿，這荒土裏化生了血染的薔薇！
那薔薇是癡心女的靈魂，
　在清早上受清露的滋潤，
　到黃昏時有晚風來溫存，
更有那長夜的慰安，看星斗縱橫。
你說這應分是她的平安？
　但運命又叫無情的手來攀，
　攀，攀盡了青條上的燦爛；——
可憐呵，蘇蘇她又遭一度的摧殘！

又一次試驗

上帝捋着他的鬚，
說『我又有了興趣；
上次的試驗有點糟
這回的保管是高妙。』

脫下了他的袈紅袍，
戴上了他的遮陽帽，
老頭他抓起一把土，

— 114 —

快活又有了工作做。

「這回不叫再像我，」
他彎着手指使勁塑；
「鼻孔還是給你有，
可不把靈性往裏透！

「給了也還是白丟，
能有幾個走回頭；
靈性又不比鮮魚子，

化生在水裏就長翅！

『我老頭再也不上當，
眼看聖潔的變骯髒，——
就這兒情形多可氣；
那箇安琪身上不帶蛆！』

運命的邏輯

（一）

前天她在水晶宮似照亮的大廳裏跳舞——

多麼亮她的襪！

多麼滑她的髮！

她那牙齒上的笑痕叫全堂的男子們瘋魔。

（二）

昨天她短了資本，

變賣了她的靈魂；

那戴喇叭帽的魔鬼在她的耳邊傳授了秘訣，
她起了綢紋的臉又搽上不少男子們的心血。

（三）

今天在城隍廟前階沿上坐着的這個老醜，
她胸前掛着一串，不是珍珠，是男子們的枯髏；
　神道見了她搖頭，
　魔鬼見了她哆嗦！

— 118 —

新催粧曲

（一）

新娘，你爲甚麼緊鎖你的眉尖，
（聽掌聲如春雷吼；
鼓樂暴雨似的流！）
在繽紛的花雨中步懦懦的向前：
（向前，向前，
到禮台邊，
見新郎面！）

莫非這嘉禮驚醒了你的憂愁：
　一針針的憂愁，
你的芳心刺透，
　逼迫你熱淚流，——
新娘，爲甚麼你緊鎖你的眉尖？
（二）
新娘，這禮堂不是殺人的屠場，
　（聽掌聲如震天雷，
　鬧樂暴雨似的摧！）
那台上站着的不是喫人的魔王：

— 120 —

他是新郎，
他是新郎，
你的新郎；
新娘，美滿的幸福等在你的前面，
你快向前，
到禮台邊，
見新郎面——
新娘，這禮堂不是殺人的屠場！

（三）

新娘，有誰猜得你的心頭怨？——

（聽掌聲如劈山雷，
鼓樂暴雨似的催，
催花巍巍的新人快步的向前
向前，向前，
到禮台邊，
見新郎面。）
莫非你到今朝，這定運的一天，
又想起那時候，
他熱烈的抱摟，
那顫慄，那綢繆——

新娘，有誰猜得你的心頭怨？

（四）

新娘，把鉤消的墓門壓在你的心上：
（這禮堂是你的墳場，
你的生命從此埋葬！）
讓傷心的熱血添濃你頰上的紅光；
（你快向前，
到禮台邊，
見新郎面！）
忘却了，永遠忘却了人間有一個他：

讓時間的灰燼，
掩埋了他的心，
他的愛，他的影，——
新娘，誰不艷羨你的幸福，你的榮華！

— 124 —

兩地相思

（一）他——

「今晚的月亮像她的眉毛，
這彎彎的夠多俏！
今晚的天空像她的愛情，
這藍藍的夠多深！
那樣多是你的，我聽她說；
你再也不用疑惑；
給你這一團火，她的香脣，

還有她更熱的腰身！
誰說做人不該多喫點苦？——
喫到了底才有數。
這來可苦了她，盼死了我，
半年不是容易過！
她這時候，我想，正靠著窗，
手托著俊俏臉龐，
在想，一滴淚正掛在腮邊，
像露珠沾上草尖：
在半憂愁半歡喜的預計，

計算着我的歸期：
阿，一顆純潔的愛我的心，
那樣的誠那樣的眞！
還不催快你跨下的牲口，
趁月光淸水似流，
趁月光淸水似流，趕回家
去親你唯一的她！

(二)她——

今晚的月色又使我想起

　我半年前的昏迷，
那晚我不該喝那三杯酒，
　添了我一世的愁；
我不該把自由隨手給扔，——
　活該我今兒的悶！
他待我倒眞是一片至誠，
　像竹園裏的新筍，
不怕風吹，不怕雨打，一樣
　他還是往上滋長；
他爲我喫盡了苦，就爲我

　他今天還在奔波；——
我又沒有勇氣對他明講
　我改變了的心腸！
今晚月兒弓樣到月圓時
　我，我如何能躲避！
我怕，我愛，這來我眞是難，
　恨不能往地底鑽：
可是你，愛永遠有我的心，
　聽憑我是浮是沉：
他來時要抱我就讓他抱，

（這葫蘆不破的好，）
但每回我讓他親——我的唇，
愛，親的是你的吻！

『罪與罰』(一)

在這冰冷的深夜，在這冰冷的廟前，
匍匐着，星光裏照出一個冰冷的人形；
是病嗎？不聽見有呻吟。
死了嗎？她肢體在顫震。
阿，假如你的手能向深奧處摸索，
她那冰冷的身體裏還有個更冷的心！
她不是遇難的孤身，
她不是被擯棄的婦人；

不是尼僧：尼僧也不來深夜裏修行；
她沒有犯法，她的不是尋常的罪名：
她是一個美婦人，
她是一個惡婦人，——
她今天忽然發覺了她無形中的罪孳，
因此在這深夜裏到上帝跟前來招認。

『罪與罰』(二)

『你——你問我爲什麼對你臉紅？
這是天良，朋友，天良的火燒，
好，交給你了，記下我的口供，
滿鋪著謊的床上那睡得著？

『你先不用問她們那都是誰，
回頭你——〈你有水不？我喝一口。
單這一提，我的天良就直追，

偪得我一口氣直頂著咽喉。）

「冤孽！天給我這樣兒：毒的香，
造孽的根假溫柔的野獸！
什麼意識什麼天理，什麼思想，
那敵得住那肉鮮鮮的引誘

「先是她家那嫂子，風流，當然：
偏嫁了個丈夫不是個男人；
這乾烤著的木柴早夠危險，

再來一星星的火花——不就成!

『那一星的火花正輪著我——該!

才一面，一夠甘脆的，魔鬼的得意；

一瞟眼，一條線，半個黑夜：

十七歲的童貞，一個活寡的急!

『墮落是一個進了出不得的坑：

可不是個陷坑，越陷越沒有底；

咒他的!一樁樁更鮮艷的沈淪。

掛綵似的扮得我全沒了主意！

『現喫虧的當然是女人，也可憐，
一步的孽報追着一步的孽因，
她又不能往閣子身上推，活罪，——
一包藥粉換着了一身的毒鱗！

『這還是引子，下文才眞是孽債：
她家裏另有一雙並蒂的白蓮，
透水的鮮，上帝禁阻閒蜂來採，

— 136 —

但運命偏不容這白玉的貞堅；

「那西湖上一宿的猖狂，又是我，
你知道，搗毀了那並蒂的蓮苞——
單只一度！但這一度！誰能饒恕
天這蹂躪！這色情狂的惡屠刀！

「那大的叫鈴的偏對浪子情癡；
她對我失貞，你說這事情多癟！
我本沒有自由，又不能伴她死，

歡看她瘋，丟醜，喔！雷殛我的臉！

「這事情說來你也該早明白，
我見着你眼內一陣陣的冒火：
本來！今兒我是你的囚犯，聽憑
你發落，你裁判，殺了我，絞了我

「我半點兒不生怨意我再不能
不自首天良偪得我沒縫兒躲；
年輕人誰免得了有時候朦混，

但是天，我的分兒不有點太酷！

『誰料到這造孽的網兒着了你，
你我的長兄，我的唯一的好友！
你愛箕，箕也愛你；箕是無罪的：
有罪是我，天罰那離奇的引誘！

『她的忠順你知道，這六七年裏，
她那一事不爲你犧牲，你不說
女人再沒有箕的自苦；她爲你

甘心自苦，爲要洗淨那一點錯。

「這錯又不是她的，你不能怪她；
話說完了，我放下了我的重負，
我唯一的祈求是保全你的家：
她是無罪的，我再說，我的朋友！」

一九二七年九月初版
實價 甲種六角半 乙種五角半

著作者 徐志摩

發行者 新月書店
上海法界華龍路

本店出版新書

翡冷翠的一夜	（詩集）	徐志摩著	甲種六角半 乙種五角半
死水	（詩集）	聞一多著	在校印中
夢與希望	（詩集）	陳衡哲著	在校印中
小雨點	（小說）	陳衡哲著	在校印中
花之寺	（小說）	凌叔華著	在校印中
少年哥德之創造	（小說）	西瀅譯	在校印中
瑪麗瑪麗	（小說）	徐志摩 沈性仁譯	實價六角
留西外史	（小說）	陳春隨著	實價五角
蜜柑	（小說）	沈從文著	實價五角
聖徒	（小說）	胡也頻著	實價四角半
海市蜃樓	（劇本）	陸小曼譯	在校印中
可敬愛的克來登	（劇本）	余上沅譯	在校印中
巴黎的鱗爪	（文集）	徐志摩著	實價六角
寸草心	（文集）	學昭女士著	實價六角半
雕蟲	（小品）	秋郎著	不日出版
浪漫的與古典的	（文藝批評）	梁實秋著	實價五角半
國劇運動		余上沅編	日內出版
英文維多利亞時代之文學		韓湘玫著	在校印中
國語文學史		胡適著	不日出版
小青之分析		潘光旦著	日內出版
左傳眞偽考		陸侃如譯	不日出版
中國哲學小史		胡適著	在校印中
人文生物學論叢		潘光旦著	不日出版
馬克斯唯物史觀批評		張君勱著	在校印中